books

kookbooks _ Reihe *Lyrik* _ herausgegeben von Daniela Seel _ Band 2

Steffen Popp

Wie Alpen Gedichte

Mit einem Nachwort von Anders Winterer

books

2. Auflage 2007

© 2004 **kookbooks**, Idstein

Alle Rechte vorbehalten

Gestaltung: Andreas Töpfer, Berlin

Gesetzt aus der Bembo & der Kookone

Druck & Bindung: Steinmeier, Nördlingen

Printed in Germany

ISBN 938-3-937445-03-8

Silvae (gelichtet)

Die Zeit braucht, ihre Gebrechen zu beichten, ein Medium.
Auch über die Intuition hatte ich mir bereits früher notiert,
dass sie zu den »satvamhaften Widerwärtigkeiten« zähle. Und
bin ihr doch verfallen.

Hugo Ball

Silvae (gelichtet)

Das Harz läuft aus den Bäumen, wie gewohnt
stehen die Wälder, hölzern und grün
vor meinem Fenster, und überall auf der Erde
wo kein Feld ist, kein Garten
                kein Haus wie das meine.

Manchmal ein Tier, an der Blattunterkante
eine rehbraune Schießscheibe mit wenigen
Treffern vom Vorjahr –
                zwei uralte Pferde
ziehn Holz aus dem Windbruch, mit der Dunkelheit
kommen die Jäger, man sieht ihre gelben
                Turnschuhe leuchten.

Ländliches aus der Ersatzmappe

für Adalbert Stifter

Das leere Gefühl nach Lektüre der Klassiker
du stehst im Hof mit einer Heugabel.

Der Horizont lächelt mongolisch
zwölf Nägel
in einer Stallwand, die Pflanzen rasen
zahnlos und geil hinter den Lauben.

Wind von der Teerstraße
trockenes Obst, es sind Dämonen
die hier einstürzen –
deine Stiefel, schlaflose Doggen
spuren

Atmen, nicht aufhören

Ewiges Treten. In Bächen aufwärts gehen
oder am Grund stehn, wie Fische.

Die Regulatoren in diesem Blau
steuern die Dämmerung auf meine Haut.
Rost von den Hochhäusern. Stille.

Die Kraft geht weiter, hypnotisch
wie Geometrie. Es ist ein Verschwinden.
Die Tiere der Ebene legen
ihr fieberndes Fell zu den Steinen.

Mein Herz ist voll Blut.
Und alle Orte, die ich nicht erreichte
sind in mir, eine Handbreit geöffnete
Fenster.

Tannen, das Grenzland

Tannen im Grenzland, sie brüllten
wie eine Herde, im Sperrdraht, vernagelt
gärte die Zollstation, zerrte
ohnmächtig an unseren Windjacken

dann freies Feld, urweltlich ragte
unter dem Mond eine Garage
ein Zwergwürfel, unversöhnt, oben
ein finsteres Vogeldreieck

hier war die Einsamkeit ein Geländer
dürr, akrobatisch, nahezu eine Pflanze
sie hielt uns, aber wir
konnten sie nicht berühren …

Von einer Insel, aufs Meer

Wir saßen auf einem Container, vor uns die Schönheit
ein deutliches Rauschen, wir glaubten an Sand, der uns aufrieb
im langsamen Flutreifen, wir glaubten an Brücken auf See
die heimliche Lösung der Toten bei Schnee in den Festländern
Lippen und Zähne, die Küstenlinien griffen so ins Meer.

Wir sahen müde aus, von fern, in der Vergeblichkeit der Ufer
zu allem Übel kam noch die Nacht, eine zärtliche Seilbahn
uns in die aufgeräumte Zeit und die Gehäuse, am Sperrzaun
schien uns der Mond ein gut gewürgter Engel, sein Gurt
der Hafen war so offen, lächelte, wir hörten Holz einreißen.

Stand einer auf, die Zufahrt trug ihn weg, wie eine Steinfrau
ihr eingebildetes Kind, in einem Film, dann lief die Spule leer
lief, lief, wir kauten Sand – es knirschte (ein langer Frieden
auf dem wir sitzen blieben, vermutlich), ein großer Container
es gab Blech, das Meer, für gute Augen die versenkten Schiffe.

Trübes Geranienlicht, der Schnapsschrank

Zeit frisst aus meiner Hand, Stück Hornhaut, blindes Rosa
was ich noch hab, von meinen Werkzeugen –

Pfahlbauten, die nicht mehr hell werden
dünn hingelegter Schnee, der Nacken eines Müllmanns
                                        (faltet Gebirge)
die Küchenbank
eine störrische Kinnlade, in ihrer Schlafhaltung

und das weitere Aufreißen
von einem zu lange geliebten Stofftier, am Hals
einer im Haus Träumenden.

Betonstufen, die Meere

Bewegung (Luft), Meerfarbe (grün), ein Igel (die Technik
                                        eines Coyoten
ihn auf den Rücken zu drehen) – dein Herz, der nahe Hafen
dehnt sich an seinen Schlafkanten. Futter in Säcken,
                                        Munitionskisten
der gespreizte Huf eines Esels im Brackwasser –

das Meer zeigt dir Ufer (die Grenzen), du schläfst in
                                        deinen Staaten
es gibt Geheimzeichen, Türme (auf See blickend), Flugabwehr
Ingenieure mit Fliegerkappen – du zählst sie an Stränden
                                        es sind Gelenke
und sie verbinden dich (wie eine Schrift) mit allen Dingen.

Seestück, kleine Minne

Deine zwei schönen Augen, Taxis bei Nacht
schwer lenkbare Wärmegewitter
Umschlagplätze von Licht, wo ich aufhöre
dich zu erfinden und
    alles was selten ist anfängt
    zu schwimmen.

Großes Gelächter von See her, mein Herz
ist eine Sprengwolke, will sich mit jedem Schlag
auslegen – aber dann
    klammert es, macht eine Faust –

ein lange von Blut durchschlagener
Glücksknoten, an dem ich festhalte
die kleine Loge, in der du sitzt
schwarze Oliven vor dir auf dem Tisch

eine geschlossene Pulslinie
in einer Funknacht mit Leuchtfeuern.

Das Meer bewohnt mich, wie Licht eine Stadt

Die offenen Balkone leuchteten, Inseln am Stadtring
die Luft lag herum, eine Fähre, vermutlich schlief sie

ich legte meinen Kopf in ihren Rumpf
fand eine Strömung, das Regime der Flüsse
unter den Brücken und in den Tunneln
die Instrumente
       Lichtketten, die sich bewegten.

Am Hafen
war ich allein mit dem Wasser, das dort an Land geht
Frachtkräne schienten den Kontinent
an seinen Rändern, im Hintergrund wirkten
die Meere.

Russische Einheiten

Eine Art Liebe, zwischen den Blocks
mit Schneeohren: unwirklich, außer der Zeit
liegen die Steine unter dem Eis
die gefrorene Bremsspur, die Pirouette
                    des Betrunkenen –
in meinem Herz
dröhnt ein Finale, ich weiß nicht
               von welchem Stück
durch das Balkonfenster
blickt die Geranie, reglos, ein schläfriges Kind
sagt: Wir haben Lenin gesehen …

und jedes Licht ist eine Münze Glück/Unglück
die Dinge zerfallen, in ihre stoische Schönheit

eine träumende Schaffnerin
mit eisernem Münzkasten
man sieht den Schnee und möchte sich losreißen

wenn wir in kleinen Gefährten
durch Städte reisen, bleiben Ringlinien
die letzten Einheiten
atmet der ausgebeutete Raum
ein Massiv aus toten Bienen.

Russische Einheiten II

Von langen Schwimmstrecken
sind auf deiner Haut noch die Salzflecken
in den Gebirgen noch
berühren dich die flachen Wellen –

du läufst am Ufer, ein Stück
vom Bug eines Schiffs, das auf Grund lief
in dieser Stille, du willst eine Bombe sein
nur um zu sprengen, die Luft
den letzten Ring.

Winter, Kunst der Entfernung

Schnee lag, deckte die Hügel zu
wie eine Zeit, ein Schal, der um mich tanzte –
die nahe Stadt, das Eisen
                berührte mich, ein Tier
schrie, schlug ans Gitter, dann war es still
mein Schatten im Land
eine Spur, die zurücklief –
das Klirren einer Axt stand schräg im Eis
in meinem Mund
die Zunge
    mit dünnen Rissen.

Das schneedichte Land am Grund der Luft
die, durchsichtig bis auf die Gegenstände
den Raum auslegte
mit der Geduld einer Schwebebahn
zu warten schien –

am Talgrund zog unter dem Eis
das Wasser meerwärts, in seiner Eigenzeit
nahm Steine mit, das Licht, ich
blieb, für mich
    ein verwickeltes Umspannwerk –

kein Zügel lief mir entgegen
nicht im Haus, nicht auf den Feldern
alles war wirklich
in dem Moment, und kein Gedächtnis
salutierte
vor den Dingen.

Gibraltar

Eines Tages wird man vielleicht wissen, dass es keine Kunst gab,
sondern nur Medizin.

Jean-Marie Gustave Le Clézio

Fenster zur Weltnacht

Eine Straßenbahn schläft vor dem Haus – gelb
mit gefaltetem Bügel, im Standlicht eingerollt

im Bug des Triebwagens träumen zwei Schaffner
kopflos, unter den Schilden ihrer Pappmützen

einer bewegt sich
steigt aus, ein schwacher Glutpunkt, und atmet
Rauch, mit dem Rücken zum Führerhaus

lange schaut er
     herauf, durch die orange Beleuchtung –

blind
wie Homer, in schwarzen Schuhen
mit Stahlkappen
unter dem Giebel des Uranus.

Credo

Eulenäugig, im Licht einer Stehlampe
lese ich die Geheimzeichen
aus dem Teppich – eine besondere Art Staub
und Fusseln, im Schatten des Ohrensessels –

im Schwerefeld einer Klappcouch sieht man mich
nach Schönheit graben, unbeirrt
gegen das Schweigen der monolithischen
Blumenbank!

O Nacht, lang hin schreitende
            Normaluhr, finstere Hüterin der hysterischen
Sternkälber –

was schaust du, mit allen Planeten
auf das gestaltlose Unglück, in dem wir uns krümmen
– nicht nur Magneten
    sollst du erhalten, die uns umschwingen –

lass Wörter herab, schweifende Weisen
dies zu besingen: Kastanien, Geranien, Topfpflanzen
die Seitenstraße, das Brüten der Friedfische
weltweit, unter den Klingen der Großköche

… so lehn ich, in finsteren Träumen
am Dachfenster – Asche rollt ab, glüht sekundenlang
                              in ihrem Flug –
dann sind die Sterne
wieder allein, mit den Laternen.

Etüde für C und die Sprengwerke

Das Dogma der Sterne wucherte
folgenlos in meiner Zeit, dehnte sich über die Jahre
zur See hin –
                    Schlaf, eine Krankheit aus Liebe
                    zur Welt, die herumstand, ein Kranführer
                    schwenkte Schrott über die Schiffe …

Allein, alles musste versucht werden
die Gegenstände zu heben, aus ihrem Elend zu lösen –

jegliches Ding, und wenn's mein verlogenes Herz war
klammerte, geiferte
                    würgte ein Licht aus der Tiefe …

Pottaschen, in die ich abstieg
verbeulte Kanister, es lag ein Geheimnis in ihnen –

ich trank, schmeckte den Ruß im Wind
                    Tristan, das Reich, vergorene Marschmusik

hier schlief ein Lied
in jeder Grube, ein Erinnerungsbild des Gefreiten
in jeder Stube, am Grund die verbogene
                                    Engelsschablone

und oben, unter dem gläubigen Blechstern
Winnetous Erben, eine verblichene
                    Thermokopie aus den Sechzigern
ein Filzstift aus Moskau, verdorbener Hustensaft
aus Bonn, Buna, utopische
Weltraumpostkarten in Zehnerpacks …

Eitel und chancenlos zog ich im Abfall der Seestrecken
über den kalten Genossen und ihren Heimwelten
alles war wichtig, die Lässigkeit, dieses Beginnen –

im Gralslicht des Hafens und seiner Anlagen
summten die Engel, eine Art Strom aus dem Tiefland

ein Fön, eine Gitarre, insektenhaft
hing das Geräusch
lange nach Mitternacht.

Auf diesen Morgen

Wolken, die Lichtbank, ein philosophisches Wühlen
rasender Sonnenaufgang, oder
                    sind das schon Bomben.

Unten die Welt, oben die goldenen Pfeile, der Streit
weiß, weiß, ein blöder Trichter –

Satelliten lenken Sprengköpfe, Funk
den driftenden Vogelzug
                    unsichtbar, die Olympier.

Aber dies Blau
diese reglose Ader, die dich im Leben hält
das Meer und die Klassiker
                    der verlorene Kontinent –

Wirbel aus Zorn, sieh den Verkünder
er wedelt einsam, grotesk in der Schönheit des Tags
und der Gezeiten.

Elegie für K.

Müd ist mein Auge, müd müd
wie Alpen. Eine verwunschene Strecke
aus Jahren ist mein Gesicht
Felder, in denen ich schlief –

gelbe Lampions, ein verrätseltes Kinderfest
alles ist außer mir, ein Stausee
in dem geflutete Dörfer nachts leuchten.

Die Erde gibt Farben
die Haut gibt Einheit
in den Plantagen rüsten die Obstbäume kühn
gegen das Weltall –

ringsum die Wiesen
            reiben sich an meinen Füßen
der Fluss
an meiner Seite, unmerklich zieht ihn
ein fernes Meer.

Winter, Jerusalem

Ich bete, ich bete, allein
zwischen Grünpflanzen kaue ich Chips, salziges Manna
–

Stadt, leeres Gebirg, der Mond zielt
mit der Gelassenheit eines Maurers
über die Gräben …

Die Sterne sind matt, eine Brailleschrift
im gelben Hauslicht, unten am Tor stehen die Schinder
ein Haufen Nullen, schneeäugig
verkrachte Dämonen mit Trillerpfeifen –

aber die Welt atmet weiter
an meinem Fenster, kein Fluch
treibt sie aus ihrem Geheimnis
kein Wurm nagt sie an, kein Gebrüll eines heiligen
Rinds
kann sie erweichen!

Feldweit, unter Schneezäunen
sinkt sie zurück, in einen Schlaf aus Granit
auch sinkt das Meer, auch sinken
die großen Meer-Säuger, und alle Engel
sinken zurück
in ihre Schöpfungsgelenke –

in einem Schneeglas, vor mir
stürzt alles ein, schütteln die Sterne sich
aber nichts mäßigt die Dinge
in ihrem Gewicht, treibt die Dämonen aus
diese Armleuchter –

unten am Tor stehen sie unverwandt
fröhliche Schneetreiber
auf ihre Schaufeln gestützt, spielen Trick-Track
und ihre Hüte, dort in der Tiefe
schwanken wie Wurfscheiben …

Lied an die Nacht und ihre Kammern

I

Die stoischen Länder um mich brüten ihr Ei aus
ein Cartesianisches Auge
ich kann mich nicht darin sehen, nur Raubzüge
und Automaten, die Welt erzeugen

Kälte und Eitelkeit, verstockter Lichtsinn
enormer Zug der Karawanen ins Nullfeld, Elektro-Freaks
Gurus und Pusher, die Materie strecken

in offenen Schlaf, gefaktes Gold feuert hirnwärts
veredelt die Kontakte, bis die Synapsen aufblühn –

Eli, Eli
dein winziger Lampenladen scheint in dieser Wüste
wie eine Heimat, ein letzter Kiosk
vor dem Vergessen, mit pornografischen Heften
Schaumpfeifen, brüchigen Sammeltassen …

II

Eine Armada von Heiligen zieht sich zusammen
wie ein Gewitter, vernagelt
       – Schloss Schwanstein, Eden
         all die verkrebsten Güter …
aber egal
ich lebe im Körper dieser verratenen Seetiere
dieses verkommene Glück ist wirklich –

die tickenden Adern laufen
direkt in den Raum, an meiner Hand kippt die Eisnacht
in blaues Licht um

       –

       verfaultes Laub, seine Schlafhaltung
       in einem Baum, eine magische Helix
       zieht mich …

die Tiere sind dankbar, endlich nach Hause zu kommen
machen aus Schnee Musik

       –

       alles war hier, zu jeder Stunde
       (nichts, was verloren ist).

Gibraltar

dahin (Goethe)

Kennst du, Geliebter, den Hass
Bäume, die spanische Wand
kennst du die Inseln, Kreuzfahrer
in ihren Ein-Mann-Torpedos –

Geliebter, verzeih, ich wollte nach Golgatha
aber im Wäscheschrank
lag nur ein gelber Revolver (so blieb ich).

Kennst du die See, Spuren von Kühnheit
im Schaum, Geliebter, im Schaum
kennst du das Land, seinen verrenkten Tragarm
schwer liegt es herum, unter der hungrigen Luft
planloser Wind
Wollspuren, Wärme und Staub darin.

Wie gern zög ich hinaus
wohnte, Geliebter, mit dir, unter Zitronen:
gingen nicht, in meinen tragischen Venen
die Elemente Gibraltars
schwer um und aller verschollenen Kaps
manische Augen, lidlos –

mein Herz ist eine Gräfin, umstellt von Pflegern
am Rand der City, Geliebter
        blöken die Mietklaviere!

große See-Ode

Atlantis, never

Glänzende Schwimmer im Bauch einer Salzsee
wir liegen herum wie eine Mondbasis
     gelb und utopisch, am Ende der Strecken
unsere Ausdauer, Tugend, tote Insekten
              in Chitinpanzern –

aber es gibt ein Gedächtnis
in allen Schächten, Gebäuden und Strom führenden Zäunen
Ringe im Holz, Witterungszüge in Steinen ...

Blickdichte Nacht, Rest eines Wals
          mit geometrischen Schaumstreifen
der schweigende Kies grüßt das Weltall
quellfressend, strombrechend
die kleinen Gegenstände fallen wie Zähne aus –

aber es gibt den Raum
Schwemmland, ein Marsfeld für Kühe und die Sozialstation
hinter den Dünen, es leuchtet mit Heilquellen episch

der Süden, kubistische Waldheime
         die wir bewohnen, weltklug und hellsichtig
wie Wachsengel ...

Blöde vor Müdigkeit, unsere Augen traben
rundum wie Scheinwerfer
            sammeln Kontraste, Gebreste, tobendes Strontium
unsere Ohren im Ghetto der Muschelbank
                        bohren den Strand auf
unsere Münder schlafen.

Fragmente aus dem Logbuch der Argonauten

I Kreuzfahrer

Beutel des Kängurus, Trauer um Babylon
missglückter Fick, wir zogen weit hinaus

hell gärte die See, eine euphorische Flugschau
schelmisches Öl stellte die Fühler auf
                    blinzelte eulenbraun …

Totales Licht, wir lasen die Klassiker
Sternstunde, Weltall, vergeigtes Grauen
ein Leben nach dem Leben, Tod in Europa
Brot für Chile, Bomben für China

jegliches Ding hing schwer an uns
wie Blei, Senkblei, ein gieriger Knorpelfisch

ein trauriges Küchenbeil in der Kajüte
wir querten Meere, der andalusische Koch winkte
mit seiner Kochmütze …

II Heimkehrer

Töpferkunst, Bronze, geklaute Negerplastik
behängt mit Andenken krochen wir den langen Weg
                zurück, eine geschlagene Infanterie

tropische Muscheln brachten noch einmal das Meer
ein törichtes Echo, wo wir reglos im Dreck hockten
Wurst grillten …

Verwitterte Pestsäulen, Wehrtürme, wir sahen Städte
wir hörten das Summen der Schienen, von fern
das Gekreisch der Verkünder, fanatische Torfgeigen
in den Kantinen

tänzerisch gingen wir hin, beschworen freie Seelen
Windgeister, Bartgeier, dürre Kameltreiber

Exoten des Alls, bald ließ sich nichts mehr steigern
die Grenzen des Sex, apokalyptische Drogen
späte Romantik, beim Scheißen in lehmigen Mulden
auf Feldern, unter dem Sternenwind …

III *Archäologische Summe*

Der Himmel, ein hungriges Viereck
trug uns, schickte Wind
von den vier Weltenden, ließ Gletscher schmelzen

ein elender Fön schluckte die Gralsburg
und ihre Aufbauten, Seewind verschlang auf See
die müden Inseln.

Wir schauten zu, wühlten in Fundamenten
fanden Fossilien, Erz-Würmer und Schnürsenkel
nicht Liebe, nicht Schlaf, niedrige Sinuswerke
an allen Enden der Länder und Meere.

Ein Fahrrad zuletzt, zerrüttet in tiefen Flözen
welch geistreicher Urahn erfand es
gelangweilt, im Hohlraum der Zeiten

von seinem Schädel war nur der Helm geblieben
von seiner Haut ein Fetzen Fell
in den verbogenen Speichen ...

Himmelsmechanik nach Eden

Hier liegt einer der Gründe, warum ich das Reden soviel wie möglich vermeide. Und ich will dieses Thema, auf das ich wohl nicht mehr zurückkommen kann, so sehr verdichtet sich das Gewölk, nicht verlassen, ohne die folgende wunderliche Bemerkung gemacht zu haben: zu der Zeit, als ich noch sprach, ist es mir oft passiert, dass ich zuviel gesagt habe, während ich glaubte, zu wenig gesagt zu haben, und dass ich zu wenig gesagt habe, während ich glaubte, zu viel gesagt zu haben. Ich will sagen, dass bei nachdenklicher Betrachtung, vielmehr mit der Zeit, mein übermäßiges Reden sich als lauter Armut enthüllte und umgekehrt. Sonderbares Umschlagen, nicht wahr, und einfach bewirkt durch den Ablauf der Zeit. Anders ausgedrückt: was ich auch sagen mochte, es war nie genug, nie wenig genug. Ich schwieg nicht, das war es; was ich auch sagte, ich schwieg nicht. Himmlische Analyse. Möge sie euch helfen, euch zu erkennen, und damit alle euresgleichen, falls ihr solche Leute kennt.

Samuel Beckett

Tafeln zur Lage

I

Die Argumentenmappe. Handschuh.
Ein Anatom mit seiner Säge
in Kupfer. Im Korridor. In einer Schachtel
leuchten die Falter. Ein Kaisermantel
mit Kopföffnung. Wachsende Staaten.

II

Holz ist kein Muskel, der abreißt.
Das ist ein Vorteil
nicht unbedingt schon ein Gedächtnis.

Hitler. Gebirge.
Die jungen Magneten vom Meer.

Nur seltene Handlungen, die präzise sind
stören den Grund auf.
Ein Haus aus Summen.

III

Die Nacht ist eine Schleuse.
Halbes Vergeuden von Ufern
halbes Gewinnen.

Wie hier die Brücken wegschwimmen
in ihrem Schlaf, Silber-Piloten.

Du bist allein unter dem Weltall
mit unruhig schlagendem Herzen.

Groß und genau
atmet das Licht.
Eine Herde von Sternen bringt es
herein.

IV

Der Horizont ist für dich
ein Stück artige Luft
            wo die Stromkabel einschneiden.

Schmale Kristallsohlen. Splitt.
Im Hof ein Kranz Bogenlampen.

Ausgebrannt sitzt du im Korbstuhl
faselst vom Weltkrieg.

Dein Herz redet dich an
eine Bonsai-Kathedrale.
Und jede Geste an dir ist eine Schlaf-Boje
über dem toten Wasser.

V

Gott ist weise, er ist aus Eisen.
Ein Krepp-Hotel
    (überall seine feuchten Finger).

Ach, und die Stadt ist so langsam
im Gralslicht der Tankstellen.

In den Passagen veralten die Wunder.
Dein Gesicht. Meine Hand.
    Kalt vom Schneetreiben.

Keine Organe, innen
nur das Versanden von Licht.

Himmelsmechanik nach Eden

Am Horizont hörte man Schüsse. Die toten Kennedy-Brüder
machten Jagd auf eine Herde wilder Ford-Mustangs.
                                        Heinz Rudolph Kunze

Bis auf den letzten hässlichen Engel
beuten wir alle das heilige Licht aus

und wirklich kommt aus diesem Licht
seit einer Ewigkeit nichts
als dieser letzte, unsagbar hässliche
Engel

und es ist eine Legende

seit einer Ewigkeit sind wir im Dunkel
seit einer Ewigkeit bauen wir
schlechte Hotels und ein unendliches
Parkhaus

und wir verlieren das Licht

und es ist eine Legende

ein letzter
mechanischer Hase am Weltrand, er
winkt uns …

Das Haus, es ist klein

… die Ortssprache, die Landessprache und Békéscsaba
ein fernes Afrika neben dem Grenzdorf

Werner Söllner

Das Haus, es ist klein
die Sonne
scheint herein, beleuchtet Rosen
(Staub, deinen Mund)

aber du sagst nichts, du ankerst
zwischen den Dingen
wie ein geprellter August
mit Baumflocken!

Und das Haus, es ist allein
lungert herum, afrikanische Trockenheit
hinter den Ohren

hölzern und ratlos
ein Bild von uns, eine Gemeinsamkeit
in Schlaf gerollt …

Blau, Sauerstoff, du ankerst
offenen Munds
unter den Wandelsternen

die große Eulenuhr, etwas tickt von dort
zu mir herüber.

Kleines Trompetenlied

Hochspringen, nachts, wer reißt die Sterne
findet ein Wort, für das Gewehr des Idioten

das Wasser, die Basis, das Blau
logisch der Sound, das Polarlicht der Trassen
vor Tag, ziehende Fahrspuren
                auf allen Landstraßen –

meine Projekte verlassen mich wie Schneepferde
Staub, der nach Zimt schmeckt, Schwerkraft
die Ankunft von Regen im Zug der Blocklinien

eine beharrliche Ader im langsamen
                            Wolkenmanöver
wo mein Gesicht steht
alt wie das Weltall, *the homelands* –

vage trompetet das Häuserlicht
bei den Garagen, und in den Aufgängen legt es sich
um meine Finger, ein proletarischer Handschuh

schon atmet
das weiße Gewehr an meiner Schulter, der Morgen
schon öffnen die Türme
        ihr melancholisches Baumherz
löst sich der Wind aus den Kronen
geben die Schatten ihr leises Braun.

Den Toten des Surrealismus

Wer mit den Dingen zusammenstößt,
wird es derselbe sein, der sie harmonisiert?
Das ist es wohl, was mich traurig macht.
                                    Hugo Ball

I

Draußen ist's still, kein Tank von Shell
im Resonanzbereich meines Lauschens
kein Atom bricht ab
fällt in den Schacht, kein deprimiertes Organ
probt den Verrat und die Lilie
          vor mir im träumenden Glas

dieses Gewächs meiner Sehnsucht auch
schneuzt sein Arom nur semiotisch
ohne Geräusch in die entsetzliche Nacht!

Draußen ist's still, der leere Parkplatz
Schubumkehr des Glücks und eine winzige
                    Akademie
fern dräut Asien
ein Horn des Poseidon, mit Güterzügen …

So kommt nun die Welt über den Winter!
Die Zwiebeln liegen auf dem Tisch
die Apparate des Wunders kreisen –

aber der Schnee ist nicht mehr gotisch
eine wunschlose Erzform, ein hellblau
                              getakteter Geiger
nein, er ist grau
und labbrig, die Abraumetage des Frühlings
ach –

und nur die untersten Schnee-Engel
halten sich noch an den Tankstellen
vermummt und marxistisch
in ihren winddichten Anoraks.

II

Draußen ist's still, es schlafen Berg und Tal
reglos die Stadt, das Elend der Sprengwerke

ihr langsames Feuer vereinfacht den Raum
die Herzensgebrechen der Trainer
                            Balkonpflanzen

und in den Meeren der Wal
und im Gefrierfach der Aal
Delikatessen, am Rand meiner Schwäche
ruhet die Liebe auch, ein Ghetto Rosen –

die großen Betonkörper winkeln das Licht
wo meine Hand liegt
            ein Joch für Nachtfalter
und die Gedichte gehn über den Schnee
in kleinen Schritten …

Die toten Surrealisten
rumoren unecht im Grundstock der Wälder
kauen den Sternklee in diese Nacht
trockene Seekoffer, Schneeklima –

hinter dem Elend der Bäume
leuchtet die Heimat
die Elemente erfinden sich, meine Geliebten
liegen im Streit und zerfallen

aufsteht der Mond, von seinem Sitz
da sein gelber Mund
dort seine Beine, die schleifen.

Monastischer Reisesegen

für Isaak den Blinden

Das Fest ist gelaufen, in Kopfhöhe beten
die Schwärmer den Mond an – und ewig, ewig
schweigen die Wälder, unsere schwermütigen
Zuhälter: dieses Gefühl
        das Herz ist gegessen, und du verstehst nicht
        die Stille.

Die Nacht atmet, stützt ihren sternlosen Leib
auf dein Gesicht, und in deinen Augen
schwimmt sie, ein erdschwerer Falter: am Grund
suchst du Frieden und findest
        den ersten Toten –

sein Lager aus Schnee
fällt an die Wälder, aus denen Hirten kommen

glücklose Burschen, in ihrem Verein
treibst du die Wörter, schlotternde Ziegen
von den Gebirgen des Sinai: sie drängeln
laufen Zickzack über die Grenzlinien –

verschneites Hügelland nimmt uns alle
in seine wellige Schneehand, es äugen
Hasen und Heilige aus ihren Höhlen …

Vom Nutzen aufgegebener Stationen

für Jan Wagner

An dieser Art Stationen scheint das Licht nahe
in den betrübten Reklamen, im Schaukasten –

zutraulich sehen wir unseren Umriss
vergangenen Wagenstand, den alten Fahrplan
das protestantische Phlegma der Stromzäune.

An einer dieser Stationen findet ein Wartender
dein Exkursionsgesicht in einem Zugfenster –

der graue Mann mit seinem braunen Maultier
er winkt dir zu, mit seinem grünen Halstuch.

Letzte Ode

In der Nacht kam mein Onkel Herbert wie ein langsamer Lufthasenjäger und redete zu mir. Ich sagte zu meinem Vater: »Onkel Herbert ist doch tot. Träume ich denn?« Und mein toter Vater sagte: »Er lebt.«

Yoel Hoffmann

Kutsch-Ode

Für die Piloten –
in Liebe, wo immer sie aufschlugen.

So fuhr ich denn hinab, in einer leichten Kutsche
spürte das Erdrasen, Missgunst der Kontinente
– die Welt, ein fanatischer Block auf meiner Talfahrt
schreiendes Gelb, blaue Gebirgsmonumente –

ich peitschte mein Viergespann, suchte den Übergang
in alten Tempeln, im Herz der Genossen
– die Pferde kotzten, schweißnasse Renner, rechts-links
schrien Patrioten, verkappte Sturmführer, von Freiheit –

mein Kopf war kubisch, Samt, ein Schwarm Bienen
weiß Gott was noch, ich sann, fand tote Gruben
– Wiesen und Schaum, Herzrhythmus, stehendes Licht
ein blödes Geschwader, ich warf es hinter mich –

wo in den Zeitschneisen das Wasser steht, schläft es
nun ohne Not, sprach ich zu meinen vier Gäulen
die kopflos rannten, Schneefelder querten, Wälder

– Linien am Horizont, ich fühlte priesterlich
auf meiner Reise die Mondampel, zwölfäugig –

später Saturn, tickendes Rot, ich suchte
die andern, sie schliefen – Kapitäne des Nichts
in ihren Krisen, im Kernland
stand die Elite, kaute Familienfleisch –

ich fuhr hinab, durch Schlamm, sah die Bewohner
ihr Wohl und Weh, Krieg Tod sinnloses Schrein
– dann Regen, lang, Nebelstation
mein Ohr wuchs in die Erde, lauschte den Pflügen –

die Kutsche im Hof, ihr trostloses Warten, die Pferde
eine verhunzte Kantate am Fuß der Stallwand
– der Wirt, ein Mann von Welt, zeigte mir Knochen
Asche und Vogelzeit, die daraus aufstand –

bitteres Braun, törichten Herzens Neigung
– Abschaum des Meridians, ich kroch, wollte mich erden
am Grund des Planeten, schlafen & Staub werden –

doch die Agenten des Urgrunds, mit ihren Turnbeuteln
zogen herauf, planten Motoren –
gottgeile Techniker schnitten den Raum, ein Gewinde
groß für mein Herz, Faltschachtel auch
für einen Traum, und brunnentief (draußen ging
dunkel der Wind, orgelte ein altes Wanderlied)

– Helden der Arbeit, Clowns, Zeugen des Alkohol
vor mir das Nichts, ein leuchtendes Radio –
so fuhr ich ab, besetzt von toten Fahnen
die Knechte der Ebene rührten den Dung um
Dämonen, am Fenster der grauen Kaschemme
rollte das Auge des trunkenen Heimleiters.

Kleines Gedicht zur letzten Ode

Dies ist ein spätes Gedicht meiner Jugend
die Tage stehen an Deck, blasse Matrosen
trinken mir zu, diese Idioten
ich kann sie nicht einfach erschießen.

Aus meinem Herz steigt Licht
eine traurige Glühlampe, scheint es
unter dem Staubschirm
ein Harnisch aus blühender Seide.

Wir sehen die Lebenden ausfahren
und Tote nur kommen herein
in flachen Kähnen, treuherzig halten sie
ihre vertrockneten Palmzweige.

Anstelle eines Nachworts ...

So prallt denn der Autor voran, gleich einem Epheben, gegen Baumstämme und -stümpfe, in einer melancholischen Rohheit ... einer seltsamen Mischung aus Trauer und Hohn im Angesicht der Banalitäten des Wunders. Wo anfangs maritime oder terrestrische Charaktere noch lyrische Sockel ausbilden, erscheinen bald enigmatische Hohlformen, durchsetzt von Tropen und Alpen, dem Schwulst fraglicher Kennerschaft und einem offenen Hang zum semantischen Einbruch. Ob es sich hier nun um den Versuch handelt, die »Sprengwerke« der Sprache ihrerseits in die Luft zu jagen, oder lediglich geistige Trümmer neu kombiniert werden, lässt sich nicht eindeutig sagen – wie diese Gedichte auch immer gebaut sind, es scheint sich bei ihnen nur in Ausnahmefällen um einen direkten Fake zu handeln.

Gnostischer Anzeiger 1/2004

... bei aller sprachlichen Virtuosität, ja hin und wieder lyrischem Gelingen, bleibt dem Verfasser doch eine Erweiterung seiner lebensweltlichen Horizonte zu wünschen, besonders was sein Verständnis der heimischen Biotope und Nutzflächen angeht – vorzugsweise durch praktisches Engagement in landwirtschaftlichen Betrieben oder im Gartenbau.

Magazin für lebendige Dichtung und Dichter, Sonderheft 2003:
Zur lyrischen Prägung des ländlichen Raums in Europa.

»Der lyrische Dichter ist entweder ein Narr des Kosmos oder ein Narr dieses Narren« – dieser Aphorismus des Spee von Ohrenberg beleuchtet die Motivation des hier versammelten Autors zum großen Gedicht. Ohne besondere lebensweltliche Fähigkeiten bleibt dem Poeten nur die Flucht ins gesteigerte

Sprachwerk, die monumentale Geste, der Angriff des Herzens auf den Verstand, des Autodidakten auf die Elite und ihre Zubringer; allerdings, das revolutionäre Moment seines Aufbruchs – allzu oft verliert es sich frühzeitig, mit seinem Eintritt in die betrieblichen Nährzonen. Das Gedicht existiert nicht, nur so ist es wirklich; kein Marktwert beschwert es, kein kulturelles Management unterminiert es, nur so kann es in neue Perspektiven eintreten, sich ausbreiten und Energie ernten. In dieser spezifischen Freiheit ist das Gedicht einer der seltenen Orte, an dem sich nicht ein Verfasser verwirklicht, sondern der Leser: und in der Tat ist ein poetischer Text, wie wir ihn verstehen, ohne den Leser und den kreativen Support seiner Phantasmen nichts als ein trauriger Hohlraum, den jeder Automat mit einem ehrbaren Code oder kritischen Werkzeug umstandslos zertrümmern kann. Wo eine Logik komplex wird und beginnt, ihre Adepten auf seltsame Weise zu langweilen, ist das Gedicht immer schon damit beschäftigt, sich in einem neuen Milieu zu erschaffen – die einfach beweglichen Gelenke des Arguments sind hier lediglich Startrampen, formulierte Gelegenheiten, die universelle Beweglichkeit des Gedankens im sprachlichen Feld freizusetzen …

> Die Sprecher sind das organische Drama ihrer Körper und der Dimension einer Wirklichkeit ausgesetzt, für die Sprache als reines Verweisungssystem nichts bedeutet. Das Existenzielle ist nicht wahr, sondern da, wirklich im Leid der Organe, des Materials, der Wesen im Griff ihres Werdens, ihrer unendlichen Anwesenheit. Und jedes Gedicht entsteht analog, als ein heimliches Integral seines Autors; das existierende Sprachding wird nie etwas anderes sein als ein vergleichsweise trister Trabant eines dämonischen Universalkörpers, das Machbare stets die verwirklichte Sprache, das Denkbare die noch zu schaffende. Die Sehnsucht nach einer Form, die nichts verliert, bleibt ohne Stillstand.
>
> *Spee von Ohrenberg, Poetisches Häuserbuch*

Hm – was wollten wir eigentlich sagen, in diesem, äh, »Steinbruch der Sprache«? Dies scheint ja die Frage, der mögliche Einspruch an jedem Punkt eines Gedichtes, eines Gedichtes in unserem Sinne zumindest; allerdings, wo derart immer nur gefragt wird, ist definitive Auskunft nicht eben zu erwarten und, geben wir's zu, dem Leser auch nur in seltenen Fällen überhaupt zu wünschen. Was will uns der Dichter nun sagen? Dieser junge Mensch, sicherlich arm, gymnastisch ambitioniert und Verfolger von schlechten Gedichten, will er überhaupt etwas sagen? Stellt sich hier jemand auf ein Podest, winkt mit dem Kopf, nimmt eine prophetische Haltung an – so lächerlich es auch klingt, es scheint der Fall zu sein! Ein literarisch uninteressierter Freund des jungen Autors, den wir im Zuge der Recherche für diesen Aufsatz in einem Café überraschten, sah uns nachdenklich an und bemerkte nach einigem Schweigen: »Dieses unheimliche Auge des Abgrunds – ich weiß, es ist ein Energiewerk, aber mir fehlt das Verständnis seiner unerhört selbstlosen Turbinen.« Trotz eingehender Nachfrage war nichts weiter von ihm zu erfahren, und so blieb uns nichts anderes übrig, als noch einmal den unsterblichen, wenn auch objektiv lange beerdigten, Spee von Ohrenberg zu konsultieren. In einem seiner späten, vermutlich fiktiven Briefe schreibt dieser gotische Meister (den wir getrost als eine Referenz unseres Autors bezeichnen können): »Du hast nicht das Ding, sondern deine Grenze: dieser Geheimknoten jeglicher Zukunft, in dem sich die Gegenwart offenbart als eine Spannung des Herzens und der ihm verbundenen geistigen Server – dieser Geheimknoten, sage ich, und die Fiktion seiner Auflösung bilden den mir sympathischen Motor, der all die Piloten des Ghettos, Sendboten des Glücks und diabolischen Eintänzer Gottes immer von neuem antreibt, arglose Sprachflächen in Kreaturen des Wunders zu wandeln.«

Eine allgemeine Erörterung dieser Thematik findet sich in »Der Trojanische-Pferd-Komplex oder die Desillusionierung des Ingenieurs vor dem Orakel« von M. A. Heinz Eppmann, erschienen in »Nazareth«, Jahrbuch für Geist und Gymnastik, Bern 1903. (Die spiritistischen Passagen dieses Werkes sind leider veraltet.)

Derselbe, Poetisches Häuserbuch

Bestückt mit diesen Hinweisen, haben wir daraufhin noch einmal die Texte studiert, die in diesem Buch nun gedruckt vorliegen und deren Situation im Feld der zeitgenössischen Dichtung, so es denn existiert, schließlich das Thema dieser Erörterung abgeben sollte. Auch einige Äußerungen, die wir dem Autor selbst, wenn auch unter Einsatz verschiedener Drogen und demzufolge eher verworren, doch immerhin, abgewinnen konnten, kamen uns in den Sinn und verhinderten ein hermeneutisches Abgleiten. Jedes Gedicht, so viel scheint offenbar, steht erst mal für sich, als eine Spur, das grammatische Dokument einer Anstrengung »gegen die Gravitation, die alles niederdrückt und verkleinert« (so etwa der Autor, stark angetrunken). Es bestimmt keinen Standort – »an einen Standort kann nur ein Schwachkopf glauben, einer, der nie versucht hat, kraft seiner bloßen Existenz etwas zu hebeln« (der Autor) – und es ist auch kein kulturelles Gewebe, in dem sich Verweisungen kreuzen – »Kultur, welch ein betrüblicher Seim, eine Geheimkiste für die Idioten!« (wieder der Autor, erregt, auf einen Tisch gesprungen). Wir sahen jetzt klar, dass hier das Leben zählte: Schmerz und Frohsinn, Konzentration und Zerstreuung, und nicht der Verwesungsprozess geistiger Aufbauten, die eh zerfallen und ein verschnupftes Milieu hinterlassen, »da braucht es kein Gedicht« (der Autor versuchte, von seinem Tisch wieder herunterzukommen). Man hat nur immer Formen, Gefertigtes, einen Standard und seine Abweichung; dass diese Dinge mal entstanden sind, irgendwie mit Energie verbunden, Ausdruck von Kraft waren, das kriegt man nicht heraus, wie man sie auch abklopft – »das kriegt man sprachlich nur aus dem Gedicht heraus, weil nämlich ein Gedicht nichts anderes ist als der Prozess seines Werdens, der sich bei jeder Beschäftigung mit ihm neu, original und aktuell einstellt – so denn überhaupt jemand die Courage hat, es zu lesen« (dieser Gedanke wurde dem Verfasser durch eine geschlossene Klotür zugerufen: wir können nur hoffen, ihn richtig verstanden zu haben).

Wie auch immer es sich mit der poetischen Ableitung verhält – ohne ein kuhhaftes Vertrauen in die Balance der Welt und ein gemeinsames Wohnglück ihrer Agenten sollte man nicht beginnen, Seile zu spannen, Wörter in Sätze zu binden. Gerade das Nein, ständig geschieht es. Aber nichts Wirkliches baut es, nur die Desaster des Abiturienten, Oden der Trauer und des missglückten Ficks, die den Gebildeten nicht unterhalten. Aber, wenn wir das Ding nicht konsumieren, den ganzen Komplex ohne Gewissen gleichsam ins All schießen, diese gigantische Halde Gottes. Denn jedes unsägliche Haus ist eine wahre Konsole des Lebens, eine Gemeinsamkeit unserer Ränder, die zu besprechen, scheint es, wir nicht müde werden – gegen das geifernde Chaos des Weltalls nicht weniger als gegen das totale Licht, aus dem sie wachsen. Manchmal das Gefühl, alles müsste verborgen sein und kein Objekt eines Verlangens; nur in einer Welt ohne Rätselzwang, behaupte ich, kann man den Abgrund der Freiheit durchschreiten und das Gedicht dazu antreiben, jenseits des Hains und der elysischen Horste Radikale der Wahrheit zu bilden.

Spee von Ohrenberg, Poetisches Häuserbuch

Und, was ist nun mit den Gedichten, die uns in diesem Buch vorliegen, denen wir dieses Nachwort doch eigentlich widmen wollten? Wir müssen gestehen, uns im Allgemeinen verloren zu haben. Der trunkene Autor, sein falscher Freund und die Blendwerke von Ohrenbergs haben uns dazu verleitet – dabei weiß jedes Kind, dass zu einem allgemeinen Satz über Dichtung nichts weiter nötig sind als ein paar akademische Wörter und ein Depp, der sie verbindet und ausspuckt! Na schön, in diese Position haben wir uns nun begeben – von hier aus können wir immerhin vermelden, dass wir von den hier veröffentlichten Gedichten durchaus begeistert sind: sie haben uns lange begleitet, mit Tönen und Leuchten, verbeulten Ekstasen, Apparaten, urbanen Jagden und Implantaten aus Weisheit und Gummi; wir mögen immer von neuem in ihnen lesen, verweilen und streifen – ihr Autor ist lichtscheu, verworren (hat sich verkrochen, zum Glück!), doch ihre Aura ist wirklich, luzid und wahrhaftig, zuweilen spastisch: wie dem auch sei, sie bleibt uns erhalten, nach Regeln der Schönheit gesetzt und gestaltet, in diesem erlesenen Buche!

Anders Winterer, Merseburg, Februar 2004

Silvae (gelichtet)

Gibraltar

Himmelsmechanik nach Eden

Letzte Ode